© Walt Disney Productions, 1981.
1re publication au Japon chez Kodansha Ltd, Tokyo.
Adaptation française © Librairie Fernand Nathan et Cie, S.A., Paris 1982.
Imprimé au Japon.
Nº d'éditeur : O31421
ISBN 2-09-266204-X

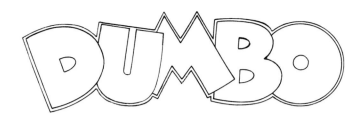

DUMBO

- Par une belle nuit de printemps, la cigogne passe au-dessus du cirque
dépose des petits sacs...

n bébé pour Madame Tigre...

...un pour Madame Ours...

— Un pour Madame Kangourou...   ... et un pour Madame Girafe...

Mais rien pour Madame Jumbo, l'Éléphant. Et le cirque poursuit sa tournée.

Tch ! Tch !... Voilà le train.

AH...AT...

TCHOUM!

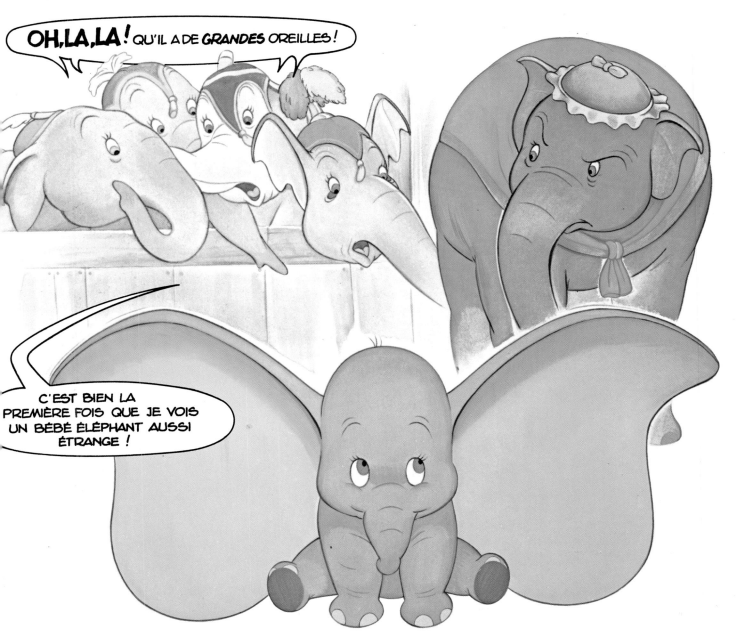

OH, LA, LA! QU'IL A DE GRANDES OREILLES!

C'EST BIEN LA PREMIÈRE FOIS QUE JE VOIS UN BÉBÉ ÉLÉPHANT AUSSI ÉTRANGE!

aman Jumbo fait la sourde oreille. Elle appelle son fils "Dumbo".

Plus loin, dans une autre ville,
le cirque plante son chapiteau
et organise une grande parade.

Le dompteur, furieux... enferme Maman Jumbo à double tour dans un wagon.

Désormais, Dumbo est abandonné à son sort.

La nouvelle a vite fait de se répandre chez les éléphants.

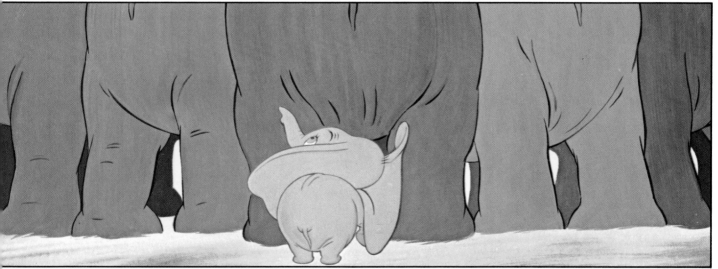

Personne n'aime le petit Dumbo.

Sauf Timothée le Souriceau...

Il fait tout pour aider Dumbo.

Après s'être déguisé, Timothée, méconnaissable, se faufile sous la tente du dompteur.
Il chuchote quelque chose à l'oreille du dompteur...

Cette nuit-là,
le dompteur rêve que Dumbo fait de l'équilibre tout en haut d'une pyramide d'éléphants...

le lendemain, il décide que Dumbo exécutera le même numéro que dans son rêve.

 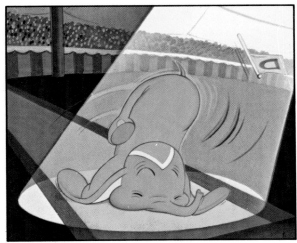

TU AS BIEN ATTACHÉ TES OREILLES, J'ESPÈRE? ALLEZ, EN AVANT!

couragé par Timothée, Dumbo se met à courir...

Hélas, ses oreilles se dénouent.

 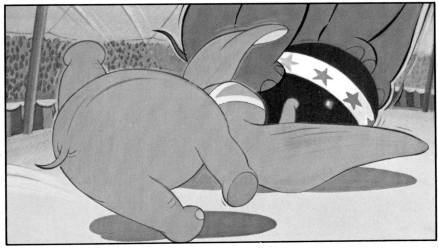

rébuche et va buter contre la pyramide d'éléphants.

La pyramide s'écroule, et les éléphants tombent dans un vacarme assourdissant.

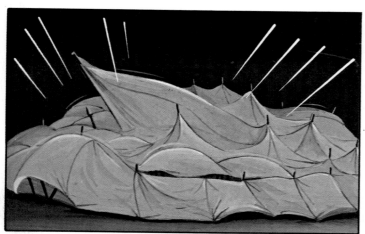

Dans leur chute,
ils entraînent le chapiteau qui cède à son tour.

Cette nuit-là, le train poursuit sa tournée.

Dans une autre ville,

e dompteur confie à Dumbo un nouveau numéro.

Pour faire rire le public,
l doit se jeter d'une maison en feu.

SPLATCH!

J'AI P-PEUR!

C'est pas le moment de lambiner !

Le public rit aux larmes !

Le directeur du cirque est très satisfait,

mais Dumbo, lui, ne trouve pas cela drôle du t[...]

SUIS-MOI !
ALLONS VOIR CE QUE
TA MAMAN DEVIENT !

MAMAN!

DUMBO!

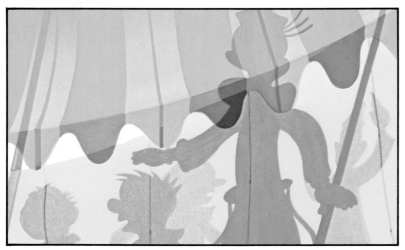

Pour fêter l'immense succès du numéro de Dumbo, les gens du cirque organisent une fête.

Et voilà qu'une bouteille d'alcool traverse l'air et atterrit dans l'auge de Dumbo et Timothée.

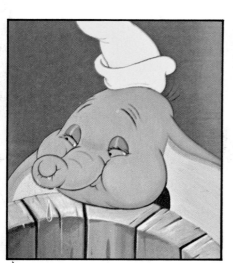

À peine ont-ils bu l'eau que leur tête tourne. On dirait qu'ils planent...

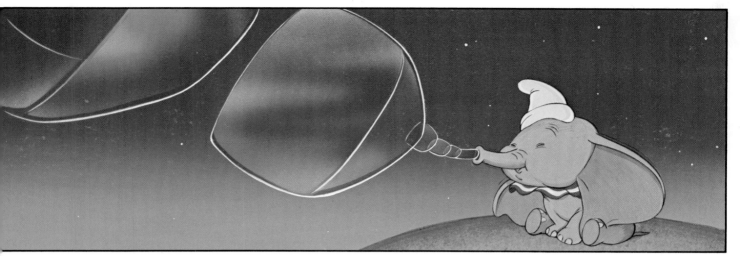

Ça alors! Dumbo peut même faire des bulles carrées!

Et l'une des bulles se transforme en un énorme éléphant qui danse dans l'air!

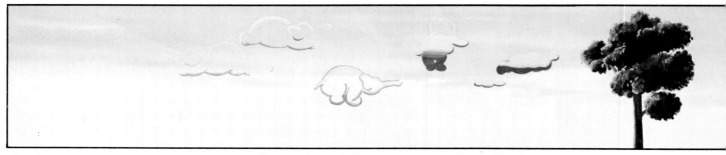

Après cette nuit mouvementée, au lever du soleil, tout rentre dans l'ordre.

Et Timothée raconte aux corbeaux toute l'histoire de Dumbo.

Les corbeaux discutent ferme.

Les corbeaux donnent une plume à Timothée. Il fait croire à Dumbo que c'est une plume magique, pour qu'il domine sa peur et apprenne à voler.

Dumbo agite ses oreilles et essaie de décoller...

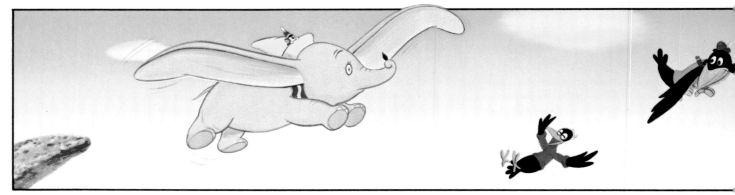

De terreur, Timothée ferme les yeux...

C'est réussi! Dumbo vole!

Dumbo n'en croit pas ses oreilles.

parvient à s'asseoir sur les fils de téléphone, tout comme les corbeaux et les autres oiseaux.

Le lendemain, Dumbo doit refaire son numéro.

VAS-Y, DUMBO, SAUTE ! ET PLUS VITE QUE ÇA !

Maintenant, il se sent sûr de lui, mais...

OH ! LA PLUME MAGIQUE, ELLE EST TOMBÉE !

Dumbo est pris de paniqu[e]

"Remue tes oreilles, Dumbo ! Je t'assure que tu peux voler !
La plume, elle n'était pas magique", s'écrie Timothée.

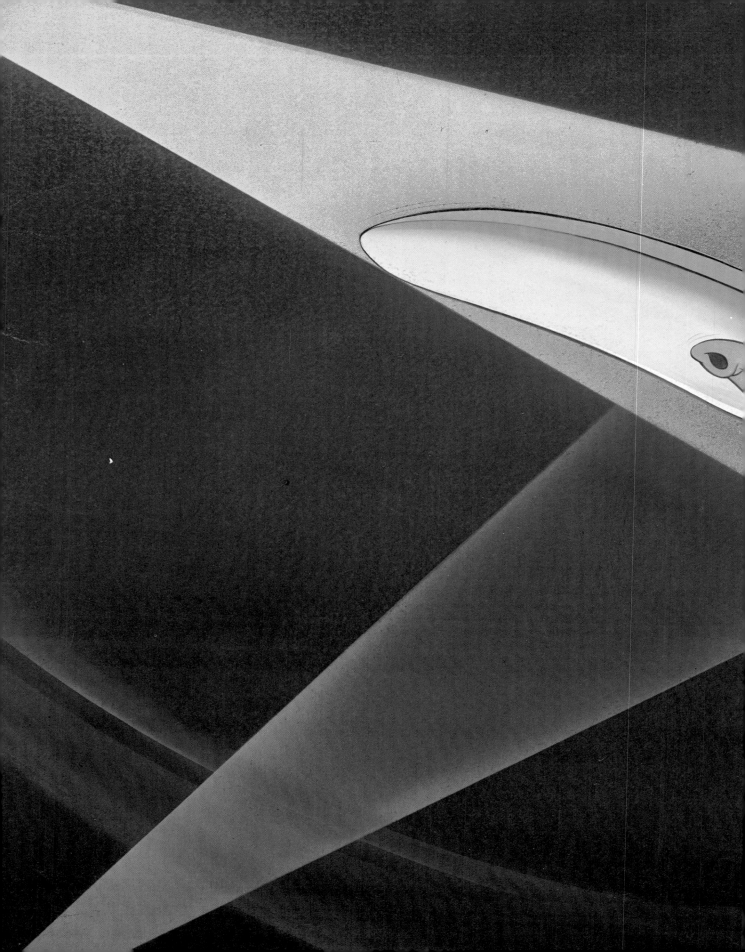

L'histoire de l'éléphant volant est en première page de tous les journaux et Dumbo est connu dans le monde entier.

Désormais, le numéro de Dumbo est la grande attraction du cirque. Sa maman est enfin libérée.

Maintenant, Dumbo est l'éléphant le plus heureux au monde...

Et il n'y a pas de maman éléphant plus heureuse...

que Madame Dumbo...

Ses amis, les corbeaux
battent des ailes en signe d'adieu,
tandis que le train du cirque s'éloigne en sifflotant.